米莉、茉莉和莉莉成長故事

# 這是我的身體

【紐西蘭】吉爾 · 皮特 / 著 【紐西蘭】克雷斯 · 莫雷爾 / 繪 白冰 / 譯創

華教育

U0063182

責任編輯　夏柏維
裝幀設計　龐雅美
排　　版　龐雅美
印　　務　劉漢舉

# 這是我的身體

【紐西蘭】吉爾．皮特／著 【紐西蘭】克雷斯．莫雷爾／繪 白冰／譯創

**出版｜中華教育**
香港北角英皇道 499 號北角工業大廈 1 樓 B 室
電話：(852) 2137 2338 傳真：(852) 2713 8202
電子郵件：info@chunghwabook.com.hk
網址：http://www.chunghwabook.com.hk

**發行｜香港聯合書刊物流有限公司**
香港新界荃灣德士古道 220-248 號荃灣工業中心 16 樓
電話：(852) 2150 2100 傳真：(852) 2407 3062
電子郵件：info@suplogistics.com.hk

**印刷｜美雅印刷製本有限公司**
香港觀塘榮業街 6 號海濱工業大廈 4 字樓 A 室

**版次｜2021 年 12 月第 1 版第 1 次印刷**
©2021 中華教育

**規格**｜16 開 (190mm × 140mm)
ISBN｜978-988-8760-07-7

「米莉、茉莉和莉莉的成長故事」系列　自我篇：《這是我的身體》
文字版權 © 吉爾．皮特 (Gill Pittar)：白冰
插圖版權 © 克雷斯．莫雷爾 (Cris Morrell)
中文簡體原版由中國少年兒童新聞出版總社有限公司於 2019 年出版

## 怎樣保護自己的身體

梅根在玩攀爬架時摔到了地上，斯米利醫生打算為她檢查時，梅根勇敢地說出對自己身體的想法：「我的身體是我的，要是我不允許，別人就不能碰我的身體。」

自由活動的時間到了，夥伴們都跑到攀爬架那邊玩。

男孩子們愛玩吊環，在吊環上盪來盪去。

女孩子們愛玩單槓，在單槓上晃來晃去。

男孩子和女孩子都喜歡爬繩子。

「爬繩子好玩，爬繩子好玩！」米莉、茉莉和莉莉大聲叫着，也跑來爬繩子。

米莉喊着：「嘿，輪到我了！」嗖的一聲，她從繩子上滑了下去。

茉莉喊着：「嘿，輪到我了！」嗖的一聲，她從繩子上滑了下去。

莉莉喊着：「嘿，輪到我了！」嗖的一聲，她也從繩子上滑了下去。

梅根有點怕，她小聲地說：「我還沒準備好呢！」然後向隊尾走去。

米莉、茉莉和莉莉又來玩單槓，男孩子們又來玩吊環。

「哎吔！」不知道怎麼回事，梅根摔倒在地上。

米莉和莉莉跑過去，溫柔地對梅根說：「別怕啊，茉莉去找布萊思老師了。」

梅根說：「沒事，只是有點疼。」

布萊思老師來了，她問梅根：「你哪裏疼？」

梅根摸了摸自己的屁股，疼得齜牙咧嘴，但她甚麼都不說。

布萊思老師帶着梅根走了，邊走邊說：
「我們去找斯米利醫生給你看看吧。」

她們來到布萊思老師的辦公室。

斯米利醫生和藹地對梅根說：「梅根，讓我檢查一下你的屁股，看看屁股為甚麼疼。」

梅根緊緊地抓住褲子不鬆手。布萊思老師問：「梅根，你怎麼了？」

梅根小聲地對布萊思老師說：「布萊思老師，請不要走開。這是我的身體，我……」

布萊思老師對斯米利醫生說：「對不起，請您先出去一下，好嗎？」

「好吧。」斯米利醫生走出了房間。

布萊思老師溫柔地問梅根：「你剛才說『這是我的身體』，你還想說甚麼呢？」

梅根說：「要是我不允許，別人就不能碰我的身體。」

布萊思老師說：「梅根，你說得很對。不過，斯米利醫生只是想檢查一下你的骨頭有沒有骨折。我會一直陪着你的。」

梅根說：「謝謝，布萊思老師。您可以讓斯米利醫生進來了。」

斯米利醫生很快就檢查完了，對梅根說：「你只是沒抓好繩子，摔疼了屁股，我覺得你沒甚麼大事。」

梅根說：「謝謝醫生！布萊思老師，我能回攀爬架那裏玩嗎？」

布萊思老師擁抱了梅根一下，說：「可以呀！梅根，你真是一個勇敢又懂事的好女孩子！」

自由活動時間結束了，大家圍着布萊思老師坐下來，布萊思老師一邊在白板上寫着東西，一邊說：「我們討論一下……」

布萊思老師問：「大家覺得第四點是甚麼呢？梅根，你來說。」梅根大聲說道：「沒有你的允許，我不會碰你的身體！」

「對。」說完，布萊思老師便在白板上寫下了最後一條。

# 《這是我的身體》閱讀指導

## 1 回憶

和孩子一起回想故事裏的角色：米莉、茉莉、莉莉、梅根、布萊思老師、斯米利醫生。

## 2 提問

當大家在玩攀爬架時，梅根發生了甚麼事？

斯米利醫生要給梅根做檢查，梅根是怎麼説的？

保護自己的身體，我們應該知道哪四點？

## 3 解釋

解釋故事中包含的主題：自我保護（了解自護常識，獲得自我保護的意識和方法，學會保護自己避免傷害）。

梅根在玩攀爬架時摔到了地上，醫生打算為她檢查時，梅根勇敢地説出對自己身體的想法：「我的身體是我的，要是我不允許，別人就不能碰我的身體。」

## 4 訓練

寫：學着布萊思老師的樣子，寫下關於「我的身體」應注意的四點事項。

説：如果有人沒經過允許要碰你的身體，你會怎麼做？

做：製作一張宣傳畫，告訴大家身體屬於自己，背心、褲衩覆蓋的地方不許別人摸。

創：和小夥伴們一起排演這個故事吧。或者按本冊主題新編一個故事，可以畫下來、寫下來，也可以講出來喲！